El gavilán no quiere a las gallinas

Versión de Zoraida Vásquez y Julieta Montelongo

Ilustraciones de Silvia Luz Alvarado

EDITORIAL TRILLAS

España, Puerto Rico, Venezuela

Hace muchísimo tiempo, el gavilán tuvo
un hijo llamado Laindú.

3

Laindú siempre jugaba a cazar bichitos
con sus amigos los pollos.

4

Todo marchaba muy bien en la tierra del gavilán
hasta que Laindú cayó gravemente enfermo
de un misterioso mal.

Cierto día, un pato viajero,
viendo al gavilán muy triste,
le dijo:
—Yo conozco a un curandero
que podrá sanar a tu hijo.
Su nombre es Buibrú.

El gavilán, sin esperar más, fue en busca
del Gran Buibrú.
Atravesó muchísimos ríos, montañas tan altas
que se perdían entre las nubes y selvas muy
espesas.

Y, por fin, un día encontró al curandero.

—Mi hijo Laindú está muy enfermo, Gran Buibrú —dijo el gavilán—. Sólo tú tienes los poderes para curarlo.

—No puedo ir. Me han contado que en tu tierra no quieren a los extraños —respondió Buibrú.

—¡Por favor! —insistió el gavilán—. Yo iré
a esperarte al camino y verás que
nada te ocurre.
—Bueno —contestó el bondadoso
Buibrú—. Vete que yo te seguiré.

Buibrú preparó su equipaje: un hermoso ramo de las mejores hierbas medicinales de la región, que apretó debajo de sus alas, y moviendo su emplumado rabo, emprendió el largo viaje.

Buibrú atravesó selvas espesas,
montañas que se perdían entre las
nubes y anchísimos ríos, hasta
que por fin llegó a la tierra del gavilán.
Cerca ya de la casa del enfermo,
Buibrú se topó con unas gallinas
que parloteaban animosamente.

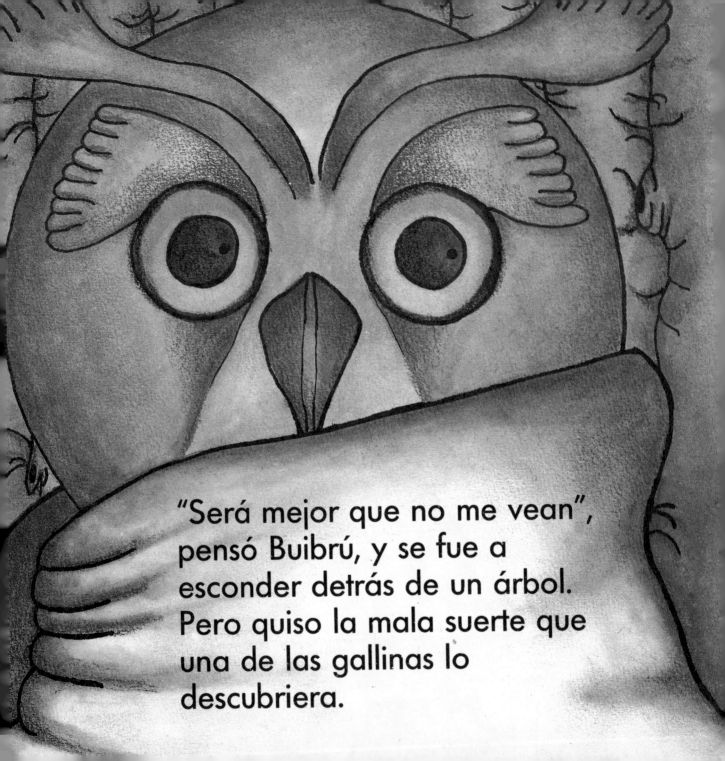

"Será mejor que no me vean",
pensó Buibrú, y se fue a
esconder detrás de un árbol.
Pero quiso la mala suerte que
una de las gallinas lo
descubriera.

—Co - co - ro - có
—cacareó la gallina—.
¡Detrás de esos árboles
se esconde un extraño!

—¡Echémoslo de aquí! —chillaron
las otras. Y se pusieron a aletear
con tanto alboroto, que Buibrú
se asustó. En su huída perdió
las hierbas medicinales.

La más escandalosa de las gallinas gritó:
—¡Esas hierbas deben tener extraordinarios poderes! ¡Vamos a comerlas!

Y todas las gallinas se abalanzaron sobre las hierbas de Buibrú.

Sólo una sospechó que el curandero venía a sanar a Laindú y, sin que las demás gallinas se dieran cuenta, juntó algunas hierbitas y se las llevó al gavilán.

Cuando el gavilán se enteró de lo que las gallinas habían hecho con el curandero, se enojó muchísimo.

Y, si bien Laindú se curó, el gavilán juró nunca más ser amigo de las gallinas.

Así explican los viejos africanos la enemistad entre gallinas y gavilanes.

Los cuentos del abuelo

Zoraida, una de nuestras autoras, vivió en Mozambique durante algunos años. En ese hermoso país africano tuvo la oportunidad de conocer los cuentos que componen esta serie. Cuando quiso averiguar quiénes fueron los autores, le respondieron que no se conocían, que hasta hace unos años los cuentos eran trasmitidos principalmente por los ancianos, grandes contadores de cuentos.

Los abuelos mozambiqueños –y creemos que los de todo el mundo– acostumbraban contar historias a los jóvenes y niños. Pero la intención de los abuelos mozambiqueños no era sólo divertir, sino dar algunos consejos. En lugar de decirles: "esto no se hace", "esto sí se hace", les contaban historias cuyos personajes eran conejos, hipopótamos, gavilanes, gallinas y niños.

Cuando escuchaban estos cuentos, los jóvenes y los niños pensaban "qué inteligente es el conejo" o "yo nunca voy a hacer lo mismo que hacen las gallinas".

Con el paso de los años, los pueblos de África se fueron independizando y los jóvenes y los niños pudieron ir a las escuelas a aprender a leer y escribir. Las historias que antes sólo contaban los abuelos, ahora también se escriben en los libros. Por eso, Julieta y Zoraida quisieron que esas narraciones, conocidas sólo por los niños mozambiqueños, llegaran a todos los niños de habla hispana. Con ellas obtuvieron en 1981 el premio "Antoniorrobles", que otorga IBBY, en la categoría de texto.